D0539203
AFGESCHREVEN

Apen en mensapen

Kijk voor meer informatie over de kinder- en jeugdboeken van de Gottmer Uitgevers Groep op **www.gottmer.nl**

Published by arrangement with Kingfisher Publications Plc

Oorspronkelijke titel: *Apes and Monkeys*
Oorspronkelijke uitgever: Kingfisher Publications Plc, Londen

Voor het Nederlandse taalgebied:

Uitgeverij J.H. Gottmer / H.J.W. Becht BV is onderdeel
van de Gottmer Uitgevers Groep BV

Vertaling: Herro Brinks, Aalten
Gedrukt in China

ISBN 90 257 3873 7 / NUR 223

Druk: 10 9 8 7 6 5 4 3 2 1
Jaar: 2011 2010 2009 2008 2007 2006 2005 2004

Verantwoording
De uitgever dankt de volgende personen en instellingen voor het mogen gebruiken van hun materiaal. Alle zorg is besteed aan het opsporen van copyrighthouders. Copyrighthouders die per ongeluk niet om toestemming is gevraagd, bieden wij onze excuses aan; mits op de hoogte gesteld, zullen wij alles in het werk stellen dit in toekomstige uitgaven recht te zetten.

b = boven, *l* = links, *m* = midden, *o* = onder, *r* = rechts
Foto's: *omslag* Getty; 4–5 Steve Bloom; 6–7 Oxford Scientific Films; 8 Martin Harvey/NHPA; 10–11 Ardea; 11*bl* Oxford Scientific Films; 12*or* Oxford Scientific Films; 14 Ardea; 15*b* Rojer Eritja/Alamy; 15*o* Steve Bloom; 16 Oxford Scientific Films; 17 Steve Bloom; 18*o* Anup Shah/Nature Picture Library; 20*br* Oxford Scientific Film; 22*o* Steve Bloom; 23*br* Peter Blackwell/Nature Picture Library; 23*l* Art Wolfe/Getty Images; 23*or* James Warwick/NHPA; 24*ol* Ardea; 24–25 Steve Bloom; 25*or* Ardea; 26*ol* Kevin Schafer/Corbis; 26*b* Tony Hamblin/Corbis; 29 Mark Bowler/NHPA; 30–31*o* Richard du Toit/NHPA; 31*bl* Anup Shah/Nature Picture Library; 31 Roland Seitre/Still Pictures; 32*ol* Oxford Scientific Films; 32*or* Ardea; 33*bl* Oxford Scientific Films; 33*r* Anup Shah/Nature Picture Library; 34*ol* Theo Allofs/Corbis; 34*r* Ardea; 35 Steve Bloom; 36*o* Anup Shah/Nature Picture Library; 36*b* Getty Images; 37*bl* Dietmar Nill/Nature Picture Library; 37*o* Frank Lane Picture Agency; 38*o* Anup Shah/Nature Picture Library; 38*b* Ardea; 39 Getty Images; 40*bl* Ardea; 40*o* Karl Ammann/Nature Picture Library; 41 Ardea; 48 Steve Bloom

De speciale fotografie op de pagina's 42–47 is van Andy Crawford. Projectbegeleider en fotocoördinator: Miranda Kennedy.
Speciale dank voor de modellen Aaron Hibbert, Lewis Manu, Alastair Roper en Rebecca Roper

Apen en mensapen

Barbara Taylor

Gottmer · Haarlem

Inhoud

Wat is een mensaap?

Jij bent er een! Er zijn vier andere grote mensapen: gorilla's, chimpansees, orang-oetans en bonobo's. Gibbons zijn kleine mensapen. Mensapen hebben geen staart, maar wel duimen die kunnen grijpen.

Harige mensapen

Mensapen zijn zoogdieren: dieren met een behaard lichaam. Haren helpen zoogdieren om warm te blijven. Wij hebben veel minder haar dan de andere mensapen, zoals deze gorilla.

zoogdier *– een behaard dier dat zijn baby's met moedermelk voedt*

Slimmeriken

Alle mensapen hebben grote hersenen. Ze kunnen problemen oplossen en gereedschappen gebruiken, ze herinneren zich dingen en communiceren met elkaar. Mensen zijn de enige mensapen die praten.

Armen en benen

Van de meeste mensapen zijn de armen langer dan hun benen. Ze kunnen door bomen slingeren of op handen en voeten lopen. Mensen lopen rechtop op hun lange benen.

communiceren – *zorgen dat anderen je boodschap begrijpen*

Mensapen in Afrika

In de bossen, bosrijke streken en bergen van Afrika wonen drie soorten wilde mensapen: gorilla's, bonobo's en chimpansees. Ze leven vaak in grote groepen.

Groepen gorilla's

Gorilla's leven in vreedzame groepen van vijf tot twintig leden. De groep mannetjes, vrouwtjes en jongeren wordt door een groot mannetje geleid.

bonobo

chimpansee

Meisjes aan de macht

Bonobo's hebben kleinere koppen en oren en langere benen dan chimpansees. Bonobo-groepen worden geleid door vrouwtjes.

Luidruchtige chimpansees

Chimpansee-groepen kunnen wel uit 100 leden bestaan en worden geleid door enkele dominante mannelijke chimpansees. Ze vechten vaker dan andere Afrikaanse mensapen.

dominant *– overheersend*

10 Mensapen in Azië

Orang-oetans en gibbons leven in Azië. Ze brengen veel tijd in bomen door, hoewel orang-oetan-mannetjes op een gegeven moment te groot en te zwaar worden voor de takken.

Dikke koppen

Mannelijke orang-oetans hebben heel dikke wangen, ter grootte van een etensbord. Daardoor lijken ze groter en het helpt hun bij het verjagen van rivalen.

rivaal – *tegenstander*

Zingende apen

Siamangs zijn de grootste gibbons. Om andere gibbons te vertellen waar ze zijn, zingen ze. Ze hebben keelzakken die ze bij het zingen kunnen opblazen. Hierdoor wordt hun stem nog luider.

keelzak *– 'zak' van huid bij de keel*

Bewegen

Chimpansees en gorilla's brengen veel tijd op de grond door. Orang-oetans, gibbons en bonobo's zijn echte boomklimmers. Gibbons leven hoog in de boomtoppen.

Op je knokkels lopen

Als ze op handen en voeten lopen, rust het gewicht van chimpansees op dikke eeltplaten op hun knokkels.

Slingerende mensapen

Gibbons slingeren van tak naar tak, waarbij ze hun handen afwisselend gebruiken. Ze kunnen zich erg snel en heel stilletjes bewegen.

Vasthouden

Orang-oetans grijpen takken stevig beet met hun lange, hoekige vingers. Ze kunnen hun armen ver uitstrekken. Hun armen zijn bijna twee keer zo lang als hun benen!

knokkels *– waar de vingerkootjes aan elkaar zitten*

Op zoek naar voedsel

Mensapen eten vooral vruchten en bladeren, maar ook kleine hoeveelheden vlees, bijvoorbeeld insecten. Chimpansees eten soms grotere dieren, zelfs apen.

Hengelen

Chimpansees stoppen stokjes of lange grashalmen in termietenheuvels. Als ze die eruit trekken, klimmen de termieten naar het einde en likken de chimpansees ze eraf.

Fruitfeest

De doerian is een van de favoriete vruchten van orang-oetans. Ze kunnen zich herinneren waar bomen staan met rijpe vruchten.

Eet smakelijk!

In een termietenheuvel leven miljoenen termieten. Die vormen een smakelijke lunch voor hongerige chimpansees.

Slimmeriken

De mensaap is een intelligente diersoort die gereedschappen maakt en gebruikt.

Harde noten

Sommige chimpansees gooien zware stenen op noten. Dit werkt als een hamer en breekt de harde schil open.

Regenachtige dagen

Mensapen houden niet van regen, omdat hun vacht niet waterdicht is. Deze orang-oetan heeft van schors een paraplu gemaakt.

intelligent – *slim*

Kletskousen

Chimpansees maken verschillende geluiden, maken grimassen en gebruiken hun lichaamshouding om met hun familie en vrienden te 'praten'

Bekken trekken

Met hun grote ogen en buigzame lippen kunnen chimpansees goed bekken trekken. Hun uitdrukkingen laten zien hoe ze zich voelen.

Speeltijd

Als jonge chimpansees spelen, leren ze hoe ze met groepsgenoten moeten omgaan en welke chimpansees de belangrijkste van de groep zijn.

Geluidssignalen

Chimpansees gebruiken hun grote oren om naar de geluiden in het bos te luisteren. De leden van een groep schreeuwen naar elkaar om in contact te blijven.

?

Echte vrienden

Chimpansees hebben vrienden in hun groep. Ze knuffelen elkaar om elkaar te troosten en te tonen dat ze vriendjes zijn.

grimas *– een gekke snoet*

Babymensapen

Apen krijgen gewoonlijk één baby per keer en zijn jarenlang bezig de baby te leren hoe hij zich moet gedragen.

Gibbonfamilies

Gibbons leven in kleine familie-groepen. Een gibbonvader speelt met zijn baby en let ook op hem.

Paardjerijden

Veel babymensapen, zoals deze gorilla, worden rondgedragen tot ze sterk genoeg zijn om zelf te lopen.

Moederliefde

Een baby-orang-oetan leeft zeven tot negen jaar bij zijn moeder. Hij heeft meestal geen ander speelkameraadje.

Wat is een aap?

Een aap is een slim, speels zoogdier met een staart. Hij leeft gewoonlijk in een groep, omdat dat veiliger is. Er zijn 130 verschillende apensoorten, van kleine tamarins tot grote bavianen.

Leefgebieden

Apen leven in zeer verschillende gebieden, van bossen en bergen tot graslanden en moerassen. Deze neusapen leven in een moeras.

Superstaarten

Apenstaarten kunnen lang of kort, dik of dun, recht of gebogen zijn. Deze colobus gebruikt zijn donzige staart als stuur als hij van boom tot boom springt.

Dag en nacht

De doeroecoelie is de enige aap die 's nachts op pad gaat. Hij heeft grote ogen om in het donker te kunnen zien.

Hoe slim?

Kapucijnapen zijn intelligente apen met grote hersenen. Hierdoor zijn ze in staat om in meer dan één habitat te leven.

habitat *– gebied waar dieren leven*

Amerikaanse apen

Amerikaanse apen leven in de warme regenwouden van Centraal- en Zuid-Amerika. Ze hebben grote neusgaten die wijd uit elkaar staan. Vaak hebben ze grijpstaarten die als een extra hand dienen.

Grabbelen

Zuid-Amerikaanse zijdeaapjes hebben lange vingers die ze gebruiken bij het zoeken naar insecten, hun voedsel. Ze hebben klauwen in plaats van gewone vingernagels.

Boomtopspringers

Kleine doodshoofdaapjes springen als eekhoorns tussen de bomen en klimmen op de dunne takken. Ze leven in grote groepen tot 200 apen.

Wollige apen

Saki's hebben een lange harige vacht die hen beschermt tegen zware regen.

vacht *– de harige lichaamsbedekking van een dier*

Afrikaanse en Aziatische apen

Deze apen hebben neusgaten die dicht bij elkaar staan, en harde eeltplaten op hun achterwerk om zittend te kunnen slapen. Ze hebben geen grijpstaarten.

Lunchpakket

De roodstaartmeerkat slaat zijn eten op in zijn wangzakken en zoekt dan een veilige plek om te eten.

Volg de leider

Slanke, sierlijke monameerkatten leven in troepen tot 20 apen. Elke groep wordt geleid door een dominant mannetje. Monameerkatten hebben een opvallend getekende, zachte, dikke vacht.

Hete baden

Japanse makaken leven in de bergen. Tijdens de koude winter krijgen ze een dikke vacht en zitten ze in het water van warme bronnen om zich warm te houden.

troep *– een groep apen wordt ook wel een troep genoemd*

Zoek het verschil!

Apen zijn kleiner dan mensapen en minder slim. Apen hebben meestal een staart, maar mensapen hebben er nooit een.

Grote mensapen

Gorilla's zijn de grootste wilde mensapen. Mannetjes wegen twee keer zoveel als vrouwtjes. De grote mannetjes schrikken roofdieren en rivalen af.

roofdieren – *dieren die op andere dieren jagen en deze opeten*

Apenstaartje

De spinaap krult zijn grijpstaart rond takken. Met de naakte, geribbelde huid onder zijn staart kan hij zich stevig vastklampen.

Bewegen en slingeren

Apen springen door de boomtoppen of rennen over de grond. Ze slingeren gewoonlijk niet door de takken, zoals mensapen doen.

Vlugge voeten

Bavianen leven op de grond en lopen op handen en voeten. Ze drukken hun vingers op de grond, maar houden hun handpalmen omhoog. Hun hoofd houden ze omhoog, zodat ze op gevaar kunnen letten. Ook lopen ze door het water.

Sterke benen

De lange achterbenen van de colobus-apen zorgen ervoor dat ze zich stevig kunnen afzetten op takken. Ze kunnen grote sprongen van boom naar boom maken.

Rondhangen

Oeakari's leven in de toppen van hoge bomen in moerassige en overstroomde bossen. Zij gebruiken soms hun sterke achterbenen om ondersteboven te hangen.

Honger!

Het favoriete voedsel van een aap is over het algemeen fruit. Apen eten ook bladeren, noten, bloemen en insecten. Sommige hebben een speciaal dieet, zoals de marmosetten, die gom eten.

Noten en zaden

Saki's gebruiken veel tijd voor het eten van zaden. Ze hebben sterke kaken om de harde noten open te kraken en het zachte voedsel eruit te halen.

Knappe kapucijnapen

Deze kapucijnaap kauwt schors van een takje. Hij kan ook noten en schelpen kraken door ze op de rotsen te gooien.

Vleesmaaltijd

Bavianen zijn sterk, fel en handig genoeg om andere apen, vogels en kleine antilopen te vangen.

Groene salade

Colobus-apen eten gewoonlijk bladeren, maar houden er ook van op rijpe vruchten, bloemen en zaden te kauwen. In hun grote maag halen bacteriën energie uit hun eten.

bacteriën *– eencellige diertjes, niet met het blote oog te zien*

Hier ben ik!

Apen blijven op veel manieren met elkaar in contact. Zij gebruiken kreten, kleuren en gedrag om een partner te vinden of voor gevaar te waarschuwen.

Wegwezen!

Brulapen zijn de luidruchtigste land-dieren. Met hun kreten waarschuwen ze andere brulapen.

Wat zit je haar stom!

Apen en mensapen verzorgen elkaars vacht: ze halen er vuil of insecten uit en houden wondjes schoon. Het verzorgen helpt apen om vrienden te blijven.

Kleursignalen

De kleuren van het mannetje van de mandril worden feller als hij gezond, boos of opgewonden is. Vrouwtjes geven de voorkeur aan mannetjes met felle kleuren.

luidruchtig – *lawaaiig*

Babyapen

Apenmoeders verzorgen hun baby's tot die 12 tot 18 maanden oud zijn – korter dus dan bij mensapen.

Pasgeboren

Babyapen worden geboren met open ogen en kunnen zich aan de vacht van hun moeder vasthouden.

Babysitten

De langoerenmoeders vinden het goed dat andere vrouwtjes voor hun baby zorgen.

Moedermelk

Zoals alle zoogdieren produceren de moeders van de zijdeapen melk om hun baby's mee te voeden. Ze moeten veel eten om deze melk te kunnen maken.

Lekker bij mama

Apenbaby's, zoals deze spinaap, klemmen zich vast aan hun moeder. Zij kijken naar de andere apen in de groep om te leren klimmen en slingeren, welk voedsel gegeten kan worden en hoe zich te gedragen.

Bedreigd!

Alle mensapen (met uitzondering van de mens) en veel apen worden met uitsterven bedreigd. Dat komt vooral door de mensen.

Bescherm de apen!

Bijna alle apen, inclusief de withandgibbon, zullen over twintig jaar zijn uitgestorven. Mensen moeten meer doen om hen te beschermen tegen de jacht en het verwoesten van hun habitat.

Uitsterven

Marmosetten, zoals dit witoorpenseelaapje, zijn hun woonplek in de bossen kwijt. Ze worden gevangen en als huisdier verkocht.

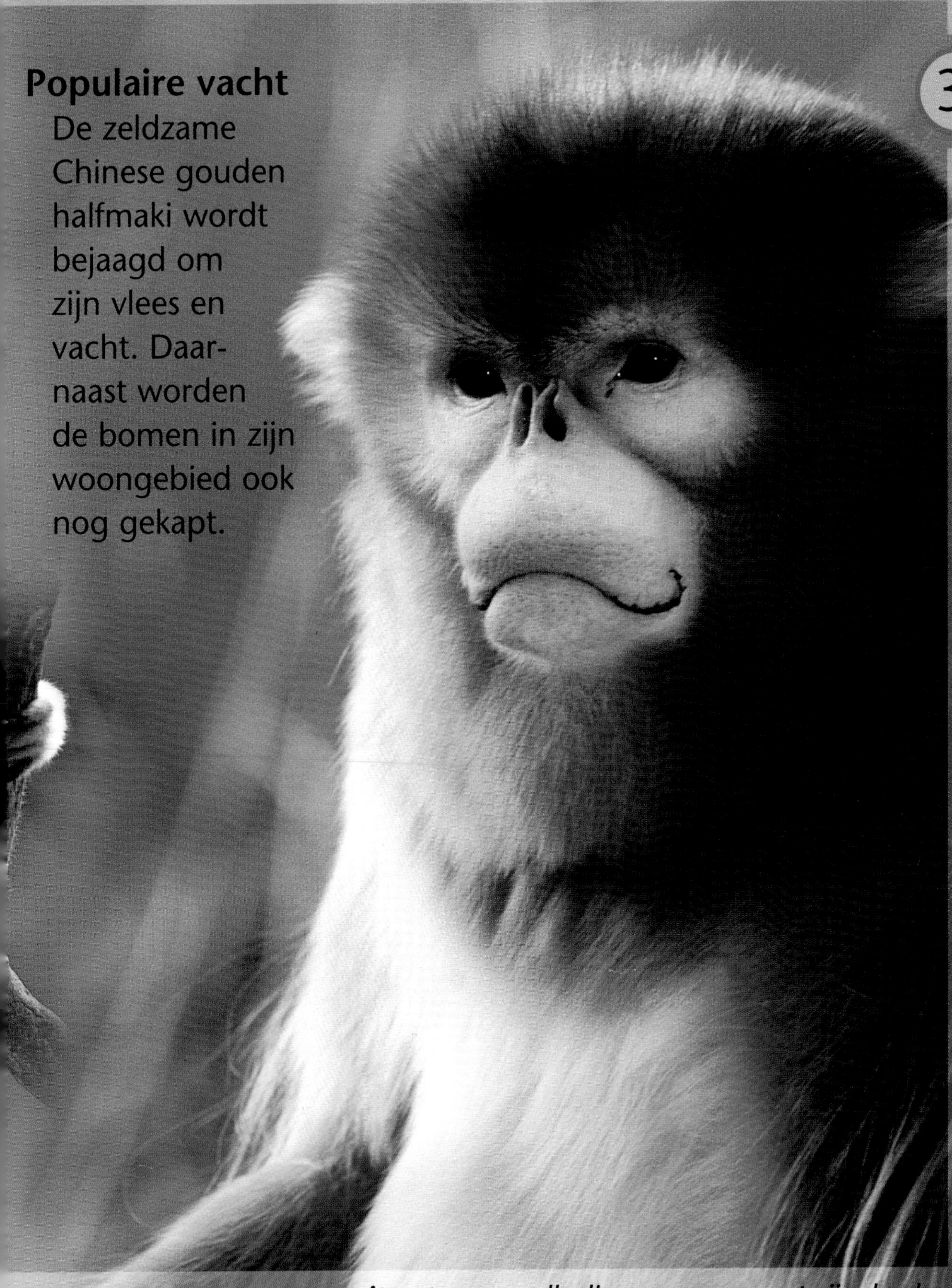

Populaire vacht

De zeldzame Chinese gouden halfmaki wordt bejaagd om zijn vlees en vacht. Daarnaast worden de bomen in zijn woongebied ook nog gekapt.

uitgestorven *– alle dieren van een soort zijn dood*

Red de apen en mensapen

Wij kunnen helpen om ze te redden, door ze te beschermen, zeldzame soorten te fokken in dierentuinen en mensen te leren met wilde dieren samen te leven.

Bijzondere redding

Braziliaanse gouden leeuwaapjes zijn gered doordat hun bossen in Brazilië beschermd werden.

Meer te weten komen

Wij moeten veel meer over apen en mensapen te weten komen, zodat we ze kunnen helpen te overleven. Wetenschappers, zoals dr. Jane Goodall (rechts), proberen chimpansees te redden.

wees *– iemand zonder vader en moeder*

Weeskind

Als een moeder-aap sterft, heeft haar baby veel liefde en zorg nodig. Soms letten mensen op deze wezen en kunnen ze die op een dag terug in de natuur zetten.

42 Apenmobile

Een apenketting maken

Volg stap 1 tot en met 5 om één aap te maken. Maak daarna nog meer apen en haak hun armen tot een lange ketting in elkaar.

Trek de twee mallen met potlood over en breng de buitenste vormen over op een stuk papier.

Knip met de schaar de kartonnen mallen voorzichtig uit. Houd de zijkant van de mal met één hand vast om bewegen te voorkomen.

Vouw een stuk bruin vilt in tweeën en zet deze met een speld vast. Trek de lichaamsmal met een stift over en knip deze uit.

Je hebt nodig

- overtrekpapier
- pen en zwarte stift
- papier
- schaar
- bruin en wit vilt
- speld
- lijm

Plak het vilt voor het lichaam aan de voor- en achterkant van de kaart. Maak de gezichten van wit vilt en plak ze vast.

Knip vier keer een kleine D uit en plak deze als oren vast. Gebruik de zwarte stift om de ogen, neus en mond te tekenen.

Termietenheuvels

Eten als een chimpansee

Maak je eigen termietenheuvel. Doe er dan snoepjes in en gebruik een rietje om het voedsel eruit te krijgen. Dat is niet zo makkelijk als het lijkt!

Je hebt nodig

- kartonnen rolletjes
- plakband
- schaar
- kartonnen bordje
- potlood
- kranten
- lijm of meel
- water
- keukenpapier
- kleurstiften
- kwast
- snoepjes
- drinkrietjes

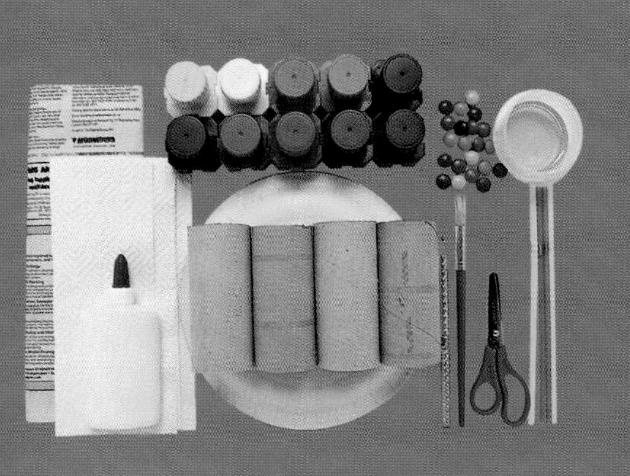

1

Neem vier kartonnen rolletjes en plak ze met plakband aan elkaar. Vraag iemand om de rolletjes vast te houden.

2

Leg een kartonnen bordje ondersteboven. Zet de vier rolletjes op het bordje en teken deze af met een potlood.

3

Knip de gaten voorzichtig uit het bordje. Plak vervolgens de rolletjes stevig op de gaten.

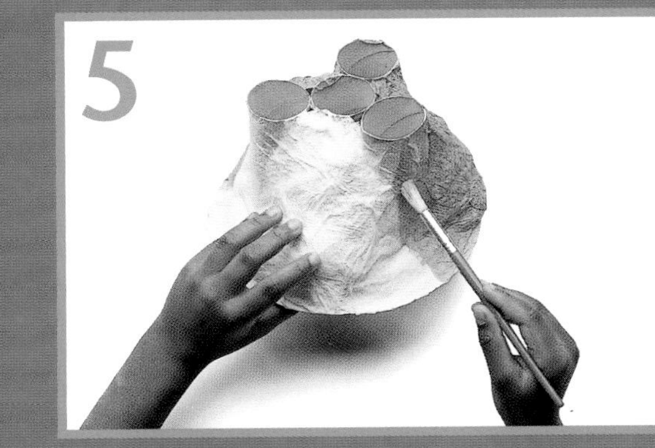

Verfrommel stukjes krant en stop deze in de ruimtes tussen de rolletjes. Dit moet de vorm van een aardhoop krijgen.

Meng meel met water of gebruik lijm om stroken krantenpapier over de hoop te plakken. Kleur hem, zodat het op modder lijkt.

Kies wat snoepjes die groter zijn dan het einde van het rietje en doe ze in de rolletjes. Zuig door een rietje om een snoepje naar buiten te krijgen. Hoeveel heb jij er?

46 Apenmaskers

Maak een apengezicht

Apen en mensapen hebben ronde hoofden die goed als masker te maken zijn. Zoek je favoriete aap of mensaap in het boek en maak er een masker van.

Je hebt nodig
- viltstift
- overtrekpapier
- gekleurd vilt
- schaar
- lijm
- papier
- elastiek

Teken het hoofd van de aap op het overtrekpapier. Leg dit op het bruine vilt en knip dit voorzichtig uit.

Trek de omtrek van het gezicht van de aap over op het overtrekpapier. Leg dit op het witte vilt en knip het uit.

Lijm het witte vilt op het bruine vilt en plak dat op een vel papier. Plak witte ringen rond de ogen.

Lijm een vilten neus en mond. Knip de ogen eruit en bevestig het elastiek aan de zijkanten van het masker.

Register